Título original en gallego: **Chibos chibóns**

Colección libros para soñar

© del texto: Olalla González, 2003
© de las ilustraciones: Federico Fernández, 2003
© de la traducción al castellano: Olalla González, 2004
© de esta edición: Kalandraka Ediciones Andalucía, 2004
Avión Cuatro Vientos 7, 41013 Sevilla
Telefax: 954 095 558
andalucia@kalandraka.com
www.kalandraka.com

Diseño: equipo gráfico de Kalandraka
Impreso en Tilgráfica - Portugal

Primera edición: junio, 2004
ISBN: 84.933755.5.1
DL: SE.2463.04

Chivos chivones

Adaptación de
Olalla González
a partir del cuento popular

Ilustraciones de
Federico Fernández

kalandraka

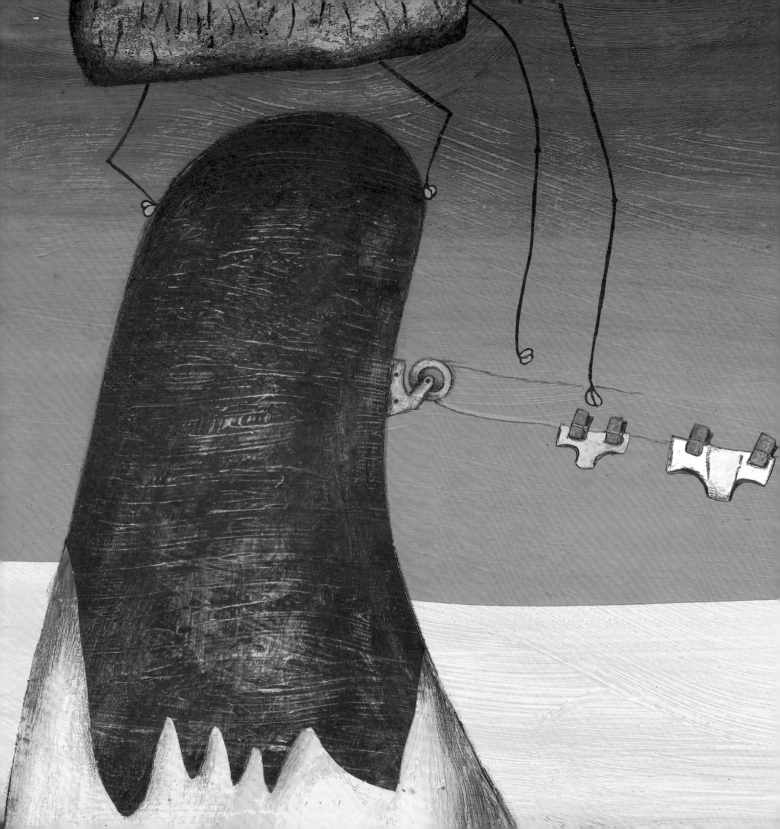

Había una vez tres chivos
que vivían en lo alto de una montaña:

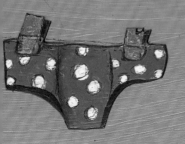

un chivo chivón pequeño,

un chivo chivón mediano

y un chivo chivón grande.

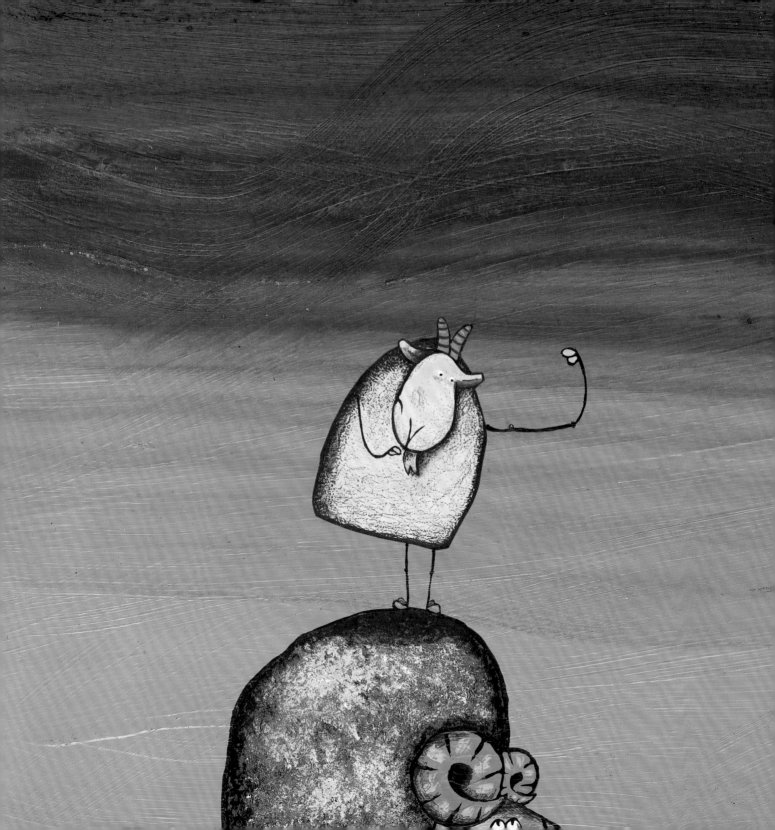

El chivo chivón pequeño
tenía una chiva chiquita
y unos cuernos muy cortitos.

El chivo chivón mediano
tenía una chiva ni grande ni pequeña,
y unos cuernos ni cortos ni largos.

El chivo chivón **grande**

tenía una chiva **grandota**

y unos cuernos **largos y retorcidos.**

Un día,
los tres chivos chivones bajaron de la montaña.

Al otro lado del río
crecía una hierba muy muy verde.

Pero para llegar,
había que cruzar un puente.

Debajo del puente vivía un ogro terrible.

Tenía los pies peludos,
brazos de forzudo
y la nariz llena de verrugas.

Era tan malvado que vigilaba día y noche,
y no dejaba pasar a nadie por el puente.

Los chivos chivones sabían del ogro,
pero aquella hierba parecía tan rica
que decidieron engañarlo.

¡Y allá se fueron!

con su chiva pequeña y sus cuernos pequeños,

haciendo con las pezuñas... patín   patín

patín

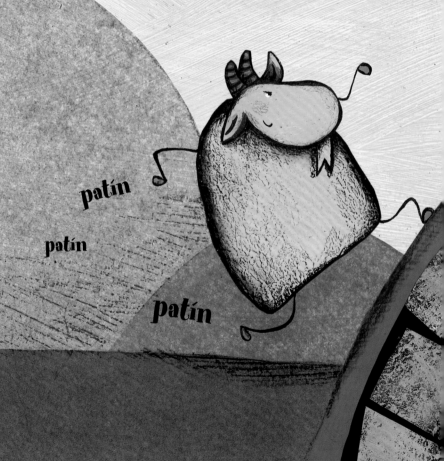

patín

patín

patín

Cuando estaba llegando a la mitad del puente,
apareció el ogro:

¿Quién hace patín, patín, patín por mi puente?

El chivo chivón pequeño.

¡Te voy a comer…!

¡Ay, no, que aún soy muy pequeño!
Espera por el chivo chivón mediano,
que está más gordo que yo.

El ogro,
rascándose la oreja, dijo:

Nunca ha pasado nadie por aquí,
pero con ese chivo chivón mediano
podré comer más. ¡Pasa, pasa…!

Y el chivo chivón pequeño atravesó el puente.

Después llegó el chivo chivón **mediano**,

con su chiva mediana y sus cuernos medianos,
haciendo con las pezuñas...

patán

patán

patán

patán

patán

patán

patán

¿Quien hace patán, patán, patán
por mi puente?
El chivo chivón mediano.

¡Te voy a comer...!
¡Ay, no, que aún soy mediano!
Espera por el chivo chivón grande,
que está mucho más gordo que yo.

El ogro bufó:

Tengo mucha hambre,
así que esperaré
y comeré hasta hartarme.
¡Pasa, pasa...!

Y llegó el chivo chivón **grande,**

El ogro apareció enseguida:

¿Quién hace patón, patón, patón
por mi puente?

¡El chivo chivón
grande!

El ogro, furioso, comenzó a dar saltos por el puente.

Entonces el chivo chivón grande
agachó la cabeza, resopló...

¡Y embistió
con todas
sus fuerzas!

Tal cornada le metió
que lo mandó volando por los aires.

¡Y el ogro nunca más volvió!

El chivo chivón grande

se fue junto al chivo chivón mediano

y al chivo chivón pequeño.

Comieron mucha hierba
y se convirtieron
en tres chivos chivones...

¡enormes!